Ce livre appartient à

Je lis avec Mickey

VOLUME

14

La Lubie de Picsou

PUBLICOR

© 1991 The Walt Disney Company. © 1991 Magazines Publicor Canada Inc. Tous droits réservés selon la Convention internationale et panaméricaine des droits d'auteurs. Publié en anglais aux États-Unis et au Canada par Bantam Books Inc., New York, sous le titre de *Scrooge's Silly Day*.
ISBN 2-921200-18-X (collection)
ISBN 2-921200-32-5 (volume 14)
Imprimé aux États-Unis.
Collection Jeunesse de Walt Disney

Un matin de grands vents, Oncle Picsou se rend
à son coffre-fort. Il vente si fort que Picsou a du mal
à avancer. Il prévoit passer toute la journée à compter
son argent.

Une fois à l'intérieur, Picsou doit lutter de toutes ses forces contre le vent pour refermer la porte.
Il se met à empiler et à compter ses billets et ses pièces de monnaie en fredonnant.

«Y a-t-il sur terre quelque chose de plus beau à regarder?» se demande-t-il en contemplant ses belles piles de billets.

Puis, ravi de voir tout son argent bien empilé, Picsou
s'apprête à partir quand soudain, il s'arrête devant
la grande fenêtre du coffre-fort. Il remarque à travers
l'épaisse vitre que le vent balaie furieusement les feuilles.

«Qu'arriverait-il si le vent brisait la vitre et balayait tout mon argent? se demande Picsou tout à l'envers. Qu'est-ce que je deviendrais si tous mes billets s'envolaient au-dessus de Donaldville? Et si j'étais incapable de les rattraper?» se demande-t-il encore. Picsou se met à réfléchir. Au bout d'un moment, il pense avoir une idée.

Il appelle son neveu Donald et lui dit : «Viens me rejoindre au coffre-fort tout de suite. C'est urgent! Apporte tes outils et du bois.»

Donald arrive en courant au coffre-fort avec sa boîte à outils et trois grosses planches. Il est surpris de voir Picsou dans une salle pleine de billets et de pièces de monnaie soigneusement empilés.

En s'élançant vers Picsou avec ses longues
planches, Donald accroche plusieurs piles d'argent.
«Qu'est-ce qui se passe?» demande Donald.
«Maladroit! fait Picsou. Regarde ce que tu viens
de faire. Tu viens de tout mettre sens dessus dessous!
Moi qui essaie de tout bien ranger!»

Picsou explique alors à Donald ce qu'il veut lui faire
faire. Donald regarde la fenêtre et secoue la tête.

«Mais Oncle Picsou, la fenêtre est en verre très épais,
fait Donald. S'inquiéter du vent, c'est bien la chose la
plus sotte que j'aie jamais entendue», ajoute-t-il.

«Ne t'occupe pas de ça! interrompt brusquement
Picsou. Replace-moi plutôt tout cet argent.»

«Ah non! fait Donald. Tout ça, c'est à cause de ton idée sotte!»

«Qui oses-tu ici traiter de sot?» demande Picsou.

«Toi justement, répond Donald. Je n'ai jamais entendu quelque chose de plus sot que de se préoccuper de choses qui n'arrivent jamais! Quelle perte de temps!»

«Moi? Perdre mon temps? tonne Picsou. C'est toi qui viens de faire tomber tout l'argent que j'avais si bien rangé!»

Picsou et Donald sont bien partis pour se disputer toute la journée. Mais tout à coup, Donald a une idée.

«Très bien, si tu réussis à trouver trois personnes avec des idées aussi sottes que la tienne, je vais remettre tout ton argent en ordre. Sinon, tu fais tout le travail toi-même.»

«D'accord, répond Picsou. Je suis certain que je n'aurai aucune difficulté. Mon problème n'est pas aussi sot que ça.»

Picsou se met alors à chercher trois personnes qui ont des soucis aussi sots que les siens.

La première personne qu'il rencontre, c'est Daisy, qui est en train de laver ses fenêtres.

«Hé! Daisy! fait Picsou. N'as-tu donc pas peur qu'il pleuve? Tes fenêtres vont se salir de nouveau!»

«Je ne laverai jamais mes fenêtres si je pense à ça», répond sagement la jolie petite cane.

Picsou poursuit sa route et rencontre alors Fifi, Riri et Loulou qui ramassent des feuilles mortes sur leur terrain.

«Hé! les garçons! fait Picsou. N'avez-vous donc pas peur que le vent les répande de nouveau sur la pelouse?» demande Picsou.

Fifi hausse les épaules et continue à ratisser.

«C'est sûr, le vent en ramène bien quelques-unes», répond Riri.

«Mais on fait du mieux qu'on peut», ajoute Loulou.

«Hum! C'est plus difficile que je ne pensais!» se dit Picsou.

Picsou fait le tour de Donaldville. Tous ceux qu'il rencontre sont raisonnables et travaillent sans se préoccuper de sots problèmes. Mais juste comme il va s'avouer vaincu, Picsou aperçoit quelqu'un s'approcher de lui.

«Ça ressemble à Géo Trouvetou! se dit Picsou. Mais que porte-t-il? On dirait une combinaison spatiale géante!»

Picsou s'élance vers Géo.

«C'est ma toute nouvelle invention, explique Géo Trouvetou. J'ai peur que la terre commence à tourner très vite et que tout le monde se mette à avoir le vertige. Je me suis donc fabriqué une combinaison anti-vertige.»

«Mais tu arrives à peine à marcher avec ça!» fait remarquer Picsou.

«C'est vrai, c'est un problème, répond Géo Trouvetou. Mais j'essaie de trouver une solution.»

En regardant Géo Trouvetou repartir, Picsou se met à rire.
«Porter cette drôle de combinaison de peur que la terre
se mette à tourner trop vite, c'est bien plus sot que d'avoir
peur que le vent balaie tout mon argent, se dit Picsou en
ricanant. Je viens peut-être de gagner mon pari!»

Peu de temps après, Picsou aperçoit une autre personne bizarre. Gontran Bonheur est à plat ventre dans un champ de trèfles, les yeux rivés par terre.

«Que fais-tu là?» demande Picsou.

«Je cherche un trèfle à quatre feuilles», répond Gontran Bonheur.

«Mais, tu es déjà la personne la plus chanceuse de tout Donaldville!» rétorque Picsou.

«Jusqu'à présent, oui, répond Gontran Bonheur. Mais si tout à coup je devenais malchanceux? On ne sait jamais! Il me faut un porte-bonheur pour que je reste toujours chanceux. C'est pour ça que je cherche un trèfle à quatre feuilles.»

«As-tu eu la chance d'en trouver un?» demande Picsou qui se retient pour ne pas rire.

«Non! répond Gontran Bonheur. J'ai bien peur d'avoir déjà perdu ma chance!» Et Gontran Bonheur se remet à chercher en fronçant les sourcils.

«En voilà deux. Il m'en reste un autre à trouver,
se dit Picsou. Gontran Bonheur, qui a peur de devenir
malchanceux, est certainement plus sot que moi
qui ai peur de perdre mon argent à cause du vent.
Un autre sot et Donald va devoir me rempiler tout mon
argent», continue-t-il de penser tout content.

Picsou passe juste alors devant chez Gus, le cousin
de Donald, qui a l'air épuisé et qui regarde le ciel,
couché dans son hamac. À côté du hamac, Gus
a placé un plat de biscuits, un verre de lait, un livre
et une radio.

«Qu'est-ce qui lui arrive?» se demande Picsou
qui se doute de quelque chose de sot.

«Bonjour, Gus. Comment vas-tu?» demande Picsou.

«Je me porterais mieux si j'arrivais à faire ma sieste, répond Gus en bâillant. Mais je n'arrive pas à m'endormir. J'ai peur qu'il se mette à pleuvoir si je ferme les yeux. Je serai tout trempé et la pluie va gâcher ma belle sieste.»

«Mais pourquoi ne vas-tu pas dormir à l'intérieur?» demande Picsou.

«J'ai mis toute la matinée à préparer ma sieste, répond Gus en secouant la tête. Je n'aimerais pas avoir l'impression d'avoir travaillé tout ce temps pour rien. Et puis, je suis trop fatigué pour tout rentrer. Et puis, si je rentre et qu'il ne pleut pas en fin de compte?»

Satisfait, Picsou s'éloigne en se frottant les mains. «Eh bien! J'ai hâte de dire à Donald que j'ai trouvé un troisième dingo qui se fait de drôles de soucis», se dit Picsou, qui s'empresse de retourner à son coffre-fort en pensant à ses trois sots.

«Géo Trouvetou a peur que la terre tourne trop vite. Gontran Bonheur est encore plus ridicule : il pense qu'il pourrait devenir malchanceux. Gus, le plus sot de tous, a peur que la pluie gâche sa sieste, alors qu'il l'a déjà gâchée en se faisant tous ces soucis, se dit Picsou. Je vais bien me reposer en regardant Donald faire tout le travail!»

Mais chemin faisant, Picsou s'aperçoit tout à coup qu'il a été sot, lui aussi. Donald a peut-être raison après tout. S'il ne s'était pas inquiété du vent, ses belles piles d'argent ne se seraient pas écroulées pour commencer.

«Quelle histoire! s'écrie Picsou. C'est vrai que j'ai été ridicule! Je vais aider Donald à rempiler l'argent, même si j'ai trouvé trois dingos plus fous que moi!»

En arrivant à son coffre-fort, Picsou raconte à Donald les lubies de Géo Trouvetou, de Gontran Bonheur et de Gus. Déçu, Donald se met à empiler l'argent. Picsou se met au travail à côté de lui.

«J'ai gagné mon pari, tu sais, dit Picsou d'un ton bourru. Mais j'admets que tu avais raison. J'étais tout aussi ridicule avec ma lubie.»

À deux, Picsou et Donald ont bientôt fini de compter et d'empiler tout l'argent. Le travail terminé, Picsou s'écrie : «Oh non! Il faut tout recommencer! Et si tout à coup on avait mis quelques billets de cent dollars avec ceux d'un dollar?»

Mais avant que Donald n'ait le temps de dire quoi que ce soit, Picsou éclate de rire en ajoutant : «Mais non, je te taquine. Merci de m'avoir aidé à m'apercevoir que j'étais parfaitement ridicule de m'en faire pour rien.»

Donald sourit. «Allons manger deux grosses coupes glacées avant que toute la crème glacée de Donaldville ne se mette à fondre tout à coup», dit Picsou en faisant un clin d'oeil à Donald.

Donald et Picsou se mettent en route en riant.
Et, à la grande surprise de Donald, Picsou prononce
trois mots qu'il dit rarement : «C'est ma tournée!»

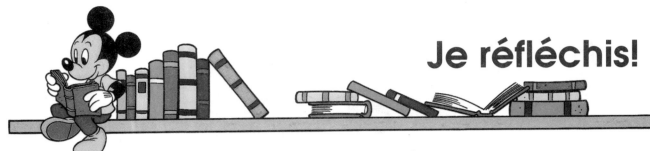

Les lubies de Picsou

De quoi a peur Picsou? Que décide-t-il de faire pour régler son problème? Penses-tu que son problème est sot? Pourquoi?

Une fois que votre enfant aura terminé les activités de ce livre, consultez le *Guide des parents* pour vérifier les réponses et découvrir d'autres jeux, activités et idées.

Connais-tu ces dingos?

Raconte ce que fait de fou le personnage de chacune des images ci-dessous.

Quelle est la chose la plus sotte que tu aies jamais faite?

Méli-mélo de mots

Picsou veut savoir si tu es capable de déchiffrer les quatre mots ci-dessous. (Conseil : Pour t'aider, lis les mots dans l'encadré.)

TENRGA   ESISET

ECANCH   TERGIVE

ARGENT   SIESTE   CHANCE   VERTIGE

Enseignes bizarres

Regarde les quatre enseignes ci-dessous. Pourquoi sont-elles bizarres?